LES
DRAGOUILLES
LES BLEUES DE MONTRÉAL

MAXIM CYR & KARINE GOTTOT

LES DRAGOUILLES

LES BLEUES DE MONTRÉAL

2

ÉDITIONS
MICHEL
QUINTIN

Mot des auteurs

Quelle joie de vous retrouver !

Vous tenez entre vos mains le deuxième tome de la série **Les dragouilles**. Bon, comme on ne vous voit pas, on ne peut pas vraiment affirmer que vous le tenez entre vos mains. C'est vrai ! Vous le tenez peut-être entre vos pieds... Qu'est-ce qu'on en sait ?

Nous vous présentons les dragouilles bleues, plus précisément celles qui vivent à Montréal. Suivre leur trace n'a pas été de tout repos. Montréal est une ville où quatre saisons se succèdent et où les écarts de température sont énormes.

Vos deux dévoués concepteurs ne se sont pas laissés décourager par la *slush* (ce curieux mélange de neige et de calcium) ni par le soleil de plomb. Oh non ! **Max** et **Karine** ont bravé toutes les intempéries pour vous offrir ce 2e tome des dragouilles. *Bon, d'accord ! On exagère un peu. C'est pour faire plus héroïque !*

Sérieusement, c'est bel et bien le rythme des saisons qui dicte le tempo et fait vibrer Montréal. Chaque saison dévoile une facette différente de cette ville. Il est donc impossible de s'y ennuyer ! Il suffit de faire preuve de créativité.

Alors 1, 2, 3, patate ! C'est parti !

- ***Max*** *et* ***Karine*** -

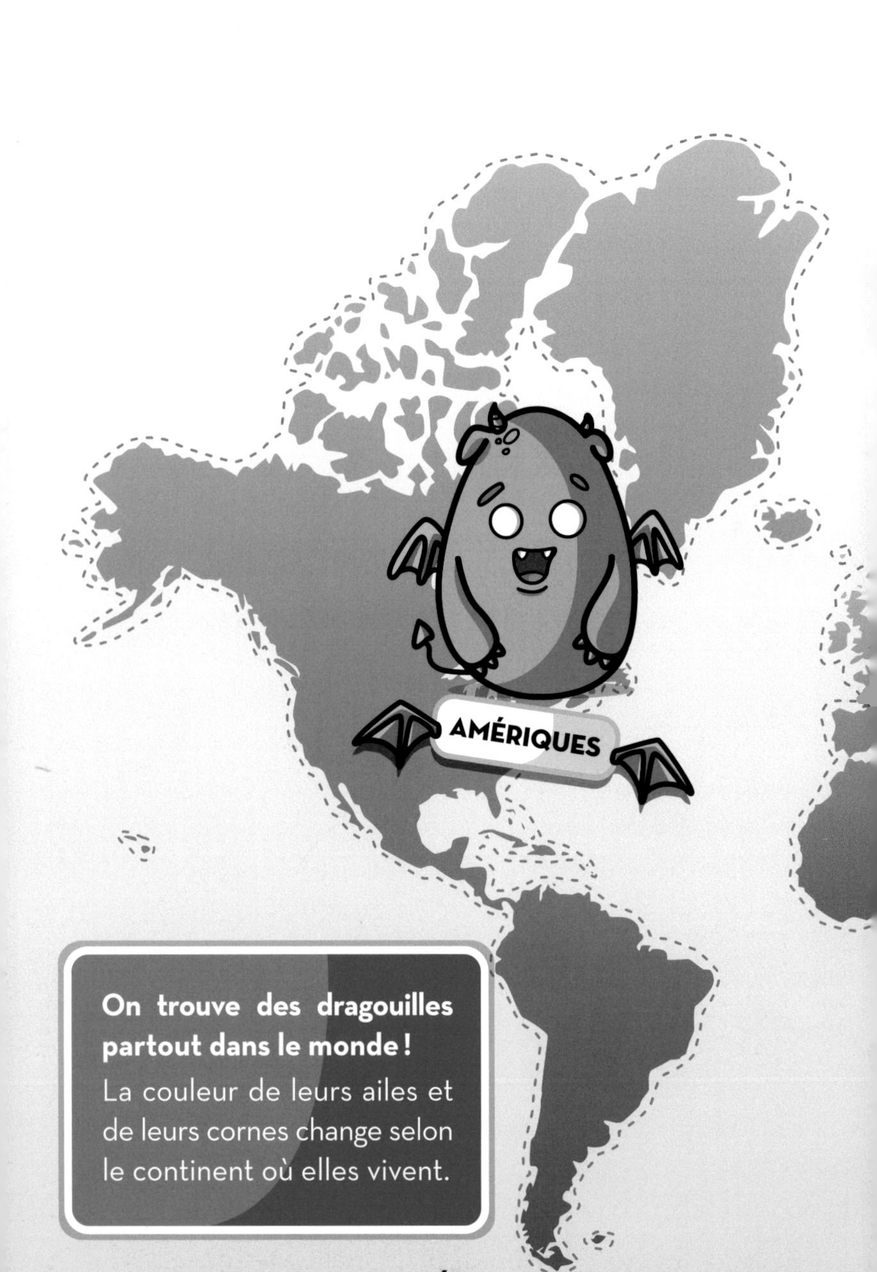

On trouve des dragouilles partout dans le monde !

La couleur de leurs ailes et de leurs cornes change selon le continent où elles vivent.

EUROPE
ASIE
AFRIQUE
OCÉANIE

Voici les dragouilles que tu vas rencontrer :

Les jumeaux

Les jumeaux se croient les pros des jeux de mots. Pourtant, ils sont souvent les seuls à se trouver rigolos !

L'artiste

C'est la plus créative de la bande. Elle dessine partout, même sur sa voisine !

La branchée

Voici la dragouille ultra-tendance. Tellement branchée qu'elle électrise tout sur son passage.

La geek

Cette dragouille a hérité d'un petit extra de neurones entre les deux oreilles. À elle seule, elle fait remonter la moyenne du groupe !

Le cuistot

Cette dragouille à toque sait cuisiner bien plus que des œufs à la coque ! Pâté d'anchois à la sauce poubelle, ça te dit ?

La rebelle

La rebelle est la dragouille casse-cou et casse-tout. Elle ne craint rien ni personne. C'est une sacrée friponne !

LES BLEUES

Toutes les dragouilles du monde se ressemblent. Mais attention, elles ne sont pas identiques ! Tu remarqueras que d'un continent à l'autre, la couleur de leurs ailes et de leurs cornes n'est pas la même. Leur mode de vie peut aussi être différent, selon l'endroit où elles vivent. Par exemple, à Montréal, les dragouilles doivent affronter quatre saisons.

C'est tout un défi pour ces petites bestioles !

As-tu fini ? Je peux descendre ?

Comme vous pouvez le constater, la dragouille de Montréal est de couleur beige et ses ailes tout comme ses cornes sont bleues.

LES JUMEAUX

Wah ! du goudron frais !

PAFF
Tu t'es fait emplumer, hein ?

Sais-tu qui est Daire?
Hein?! Qui?
Daire! On est sur sa lampe présentement!
Euh...
Ben oui! On est sur la lampe à Daire.
On dit **le lampadaire**, grosse patate!

À ce qu'il paraît, ça porte chance de se faire *cacahouiller* dessus par un pigeon...

Donc là, tu vas me dire que j'ai de la chance ?

J'ai trouvé quelque chose pour me réchauffer.
TSSS

Tchou ! Tchou !

Euh... qu'est-ce
que tu fais là ?

Je mets le chat dans
la gouttière.
Pourquoi ?

Parce que c'est
un chat de gouttière !

Ville souterraine

Chaque jour, les dragouilles sont stupéfaites de voir des milliers de personnes s'engouffrer dans les entrailles de la ville pour en ressortir quelques minutes ou plusieurs heures plus tard.

Les dragouilles ont bien raison de s'étonner ! Montréal ressemble à une grosse fourmilière dans laquelle s'enfoncent 500 000 personnes chaque jour !

Ce que les dragouilles ne savent pas, c'est que sous la ville se cache le plus grand complexe souterrain du monde. Plus de 30 kilomètres de tunnels et de galeries permettent à ces petites fourmis montréalaises de travailler, manger, faire des courses et se distraire sans avoir à ressortir avant leur retour à la maison.

En empruntant ces tunnels, il est possible d'accéder au métro, à plusieurs universités, centres commerciaux, complexes résidentiels, tours à bureaux et bien plus encore.

Si tu arrives dans la ville par le sud, impossible que tu manques ce gigantesque panneau lumineux. Il clignote dans le ciel de Montréal depuis une soixantaine d'années. À l'époque, cette enseigne a été érigée par la minoterie Ogilvie.

Risqués, les escaliers !

LA VILLE AUX ESCALIERS

À Montréal, les façades des maisons tourbillonnent ! Les escaliers qui relient le trottoir aux habitations font le charme de la ville. Il y en a de toutes les couleurs et de toutes les formes : en colimaçon, arrondis, simples, doubles, etc.

Dans une ville qui connaît la neige et la glace plusieurs mois par année, les dragouilles trouvent cela étrange que leurs voisins d'en dessous aient choisi de construire les escaliers à l'extérieur de leurs maisons. À l'origine, ce serait l'économie de chauffage et d'espace qui aurait motivé le choix des Montréalais.

Peu importe la raison, ces escaliers font la joie des dragouilles. Leur activité hivernale préférée est de prendre un chocolat chaud en regardant les Montréalais faire de spectaculaires acrobaties pour éviter de tomber en sortant de chez eux.

8
7
Hiiiiii

L'artiste

Grrr...

Hé, l'artiste ! Qu'est-ce que tu dessines ?
J'essaie de dessiner un *sept carré* et je n'y arrive pas !
C'est une danse folklorique, patate ! Ça s'écrit s-e-t c-a-r-r-é.

Hum… que pourrais-je créer comme sculpture de glace ?
J'ai une idée !
Un beau cornet de glace… en glace !

Ahhhhhhh! L'automne, les feuilles et les couleurs... c'est tellement inspirant!

Bon! Maintenant je n'ai pas trop le choix de faire une nature morte.

Tout un tour de piste !

On dit de Montréal qu'elle est la capitale internationale des arts du cirque. Mais comment a-t-elle acquis cette réputation? Est-ce parce que tous ses habitants se déplacent sur des échasses? Bien sûr que non! C'est plutôt grâce à la quantité et à la qualité des troupes qui s'y produisent. À Montréal, il y a même une école de cirque. Avoue que c'est l'école où les élèves doivent avoir le plus de plaisir à faire leurs devoirs !

Le Cirque du Soleil est sans aucun doute la compagnie la plus connue, et pour cause. Depuis sa fondation, 80 millions de spectateurs dans le monde entier ont assisté à une de ses représentations.

Quand recycler rime avec créer

Les accessoiristes du **Cirque du Soleil** font preuve d'une grande imagination. En effet, jusqu'à maintenant ils ont transformé des milliers d'objets usuels en objets de scène.

Par exemple, pour le spectacle *Quidam*, un vieux grille-pain a été métamorphosé en radio.

L'artiste adore le concept !
Voici quelques-unes de ses propres « recyclocréations ».

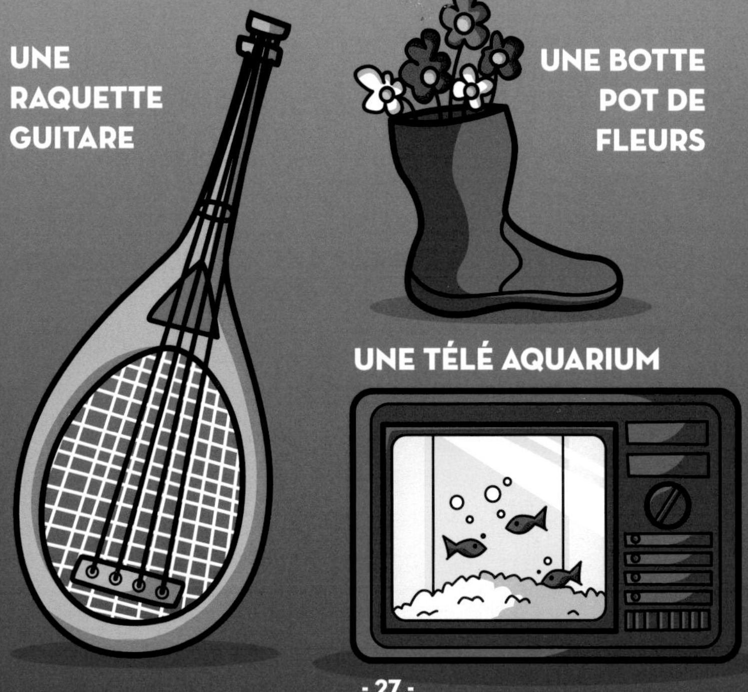

Fabrique tes propres balles de jonglage

POUR CHAQUE BALLE, IL TE FAUT :

3 ballons de caoutchouc *(préférablement de petite taille)*

De la farine *(tu peux aussi utiliser de la semoule ou des lentilles)*

1 entonnoir *(si tu n'en as pas, tu peux en fabriquer un en coupant en deux une petite bouteille d'eau)*

Une paire de ciseaux

---

1. Prends un ballon et étire-le pour le rendre plus souple.

2. Place le goulot de l'entonnoir dans le col du ballon. Tiens bien la queue du ballon sur l'entonnoir pour éviter les dégâts.

3. Remplis le ballon de farine de façon à obtenir une balle qui tient dans la main. Sers-toi d'un petit bâton ou d'un crayon pour aider la farine à descendre dans le ballon.

4. Retire l'entonnoir et coupe la queue du ballon.

5. Coupe la queue d'un deuxième ballon et installe-le autour de la balle de façon à ne plus voir le trou.

6. Répète l'étape 5 avec un 3e ballon. Voilà, tu as ta première balle !

TU TE SENS UN PEU PLUS FANTAISISTE ? CHOISIS DES BALLONS DE DIFFÉRENTES COULEURS ET LAISSE-TOI ALLER !

Si tu désires avoir une balle tachetée, perce le 3e ballon à 3 ou 4 endroits avant de l'installer.

Tu préfères que ta balle soit tigrée ? Qu'à cela ne tienne ! Après avoir installé le 3e ballon sur ta balle, découpe de fines bandes dans d'autres ballons. Place-les autour de ta balle comme des élastiques.

ÇA Y EST, TU ES PRÊT ? ALORS EN PISTE !

BANG

L'idée de peindre
ce mur en bleu ciel
n'était peut-être pas
bonne après tout !

LA BRANCHÉE

Hum... je dois me préparer pour l'hiver...

TADAM !
!!!

Euh... pourquoi as-tu une *bobette* sur la tête?

C'est super-tendance!

Si tu le dis...

Ahhhh ! Rien de plus relaxant qu'un bon bain !

Parle pour toi !

La jungle sur les toits

RECOUVRIR LES TOITS DE TOUTES SORTES DE VÉGÉTAUX EST UNE PRATIQUE QUI NE DATE PAS D'HIER.

Nos ancêtres ont fait germer cette idée bien avant nous ! Depuis quelques années, cet éclair de génie préhistorique refait surface. Certains citoyens font même pousser des légumes sur leur toit. On trouve aussi de plus en plus de toits verts au sommet des grands édifices. C'est très encourageant, cette végétation contribue à faire baisser la température et à améliorer la qualité de l'air en ville.

Un toit vert, c'est vraiment champion pour les dragouilles ! C'est l'endroit parfait pour se camoufler, jouer quelques mauvais tours et se prendre pour Tarzan.

AAAYIAYIAYIAAA !

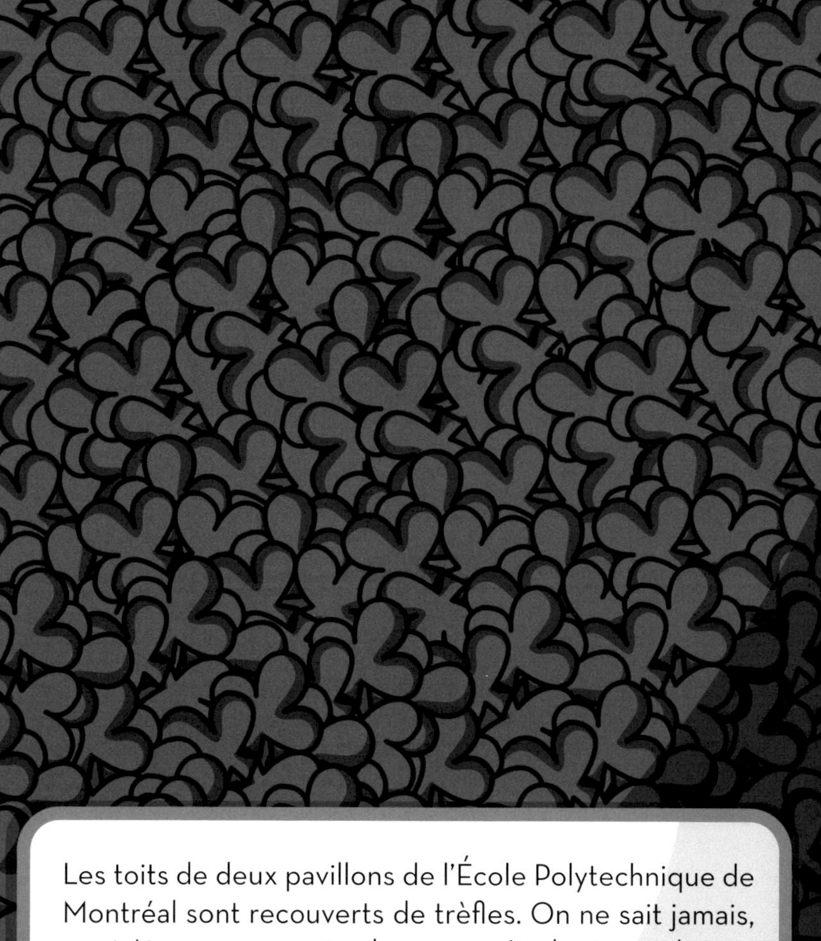

Les toits de deux pavillons de l'École Polytechnique de Montréal sont recouverts de trèfles. On ne sait jamais, peut-être que ça porte chance aux étudiants pendant leurs examens !

PARMI TOUS CES TRÈFLES, PEUX-TU TROUVER CELUI QUI A QUATRE FEUILLES ?

RÉPONSE : LE TRÈFLE SE TROUVE DANS LE COIN SUPÉRIEUR DROIT.

Rien de mieux qu'un masque d'argile pour raffermir la peau.
Hum... c'est que...
IMENT

Oh non ! Je ne peux plus l'enlever !
Ha ! ha ! Tu as pris du ciment !
AIDE-MOI !

Pour être ferme, c'est ferme !

C'est l'heure de la douche !
La la la !

Symphonie à cordes

SI TU TE PROMÈNES DANS LES RUELLES DE LA VILLE PENDANT L'ÉTÉ, TU PEUX ENTENDRE DES BRUITS BIZARRES. HI... HI... HI... HI... HI... HI... HI... HI... HI...

Ces bruits ne proviennent pas d'un écureuil qui s'est pris la patte dans une porte, mais bien du grincement de la corde à linge de Pauline, la voisine, qui étend ses vêtements pour les faire sécher.

À Montréal, les cordes à linge sont installées dans la cour arrière. On fixe une poulie à la maison et une autre sur un poteau au fond de la cour. Dès qu'il fait beau, chaussettes, pantalons, draps et serviettes valsent au vent et colorent les ruelles montréalaises.

Certaines personnes sont plus culottées que d'autres et osent faire sécher leurs sous-vêtements à la vue de tous. C'est parfait pour les dragouilles, car elles adorent s'y installer pour dormir.

PAS DE DOUTE, LES DRAGOUILLES SONT EN FAVEUR DE LA « BOBETTE » LIBRE !

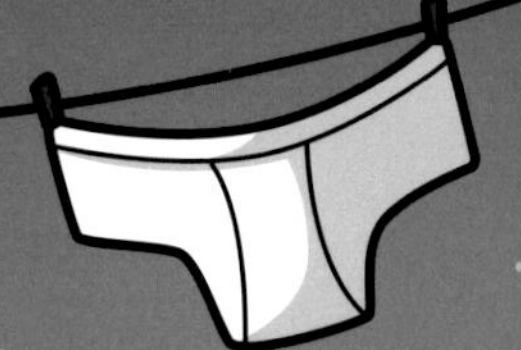

La poulie qui permet de faire glisser la corde et de la faire avancer est une invention montréalaise qui date de 1876.

Trouve l'intrus

Trouve ce qui cloche sur chacune de ces cordes à linge.

RÉPONSE : 1) LA CRAVATE 2) LA CHAUVE-SOURIS 3) LA DRAGOUILLE

Teste ta personnalité

DIS-MOI COMMENT TU ÉTENDS TES VÊTEMENTS SUR LA CORDE À LINGE ET JE TE DIRAI QUI TU ES !

TU AS CHOISI :

La corde 1 : Tu es quelqu'un de très ordonné. Tu aimes que les choses soient rangées au bon endroit.

La corde 2 : Tu es quelqu'un de créatif et tu n'aimes pas faire les choses comme tout le monde.

La corde 3 : Tu es quelqu'un de plutôt relax et tu aimes prendre ton temps. Tu apprécies les grands espaces et l'air pur.

LA GEEK

2 pommes + 2 pommes
= 4 pommes
Hum... non,
ça donne
3 pommes !

Euh...

Tiens !
Là, ça fait 3 !

Ahhhh!
Une souris!

Attrape-la!
J'ai peur
des souris!

Celle-ci?
NON!

La réception est bonne?
Si tu ne bouges pas de là, on va pouvoir regarder la partie !
COMMENT FABRIQUER SA PROPRE ANTENNE.

Un OVNI dans le ciel

LE SOIR DU 7 NOVEMBRE 1990, VERS 19 H, UNE QUARANTAINE DE PERSONNES APERÇOIVENT UN OBJET LUMINEUX AU-DESSUS DE LA PLACE BONAVENTURE.

Les premiers à remarquer cet objet mystérieux, qui brillait à travers les nuages, sont des clients de l'Hôtel Bonaventure. Ces vacanciers étaient en train de se baigner dans la piscine située sur le toit.

Stupéfaite, la surveillante de la piscine informe le directeur adjoint de la sécurité de l'hôtel. Sous le choc à son tour, ce dernier alerte les policiers.

Toutes ces personnes disent avoir vu des lumières orange qui formaient un ovale avec des faisceaux lumineux blancs qui montaient vers le ciel. L'objet mystérieux serait resté immobile pendant plus de trois heures.

Encore aujourd'hui, le mystère n'est pas résolu. On ne sait toujours pas ce qu'il y avait dans le ciel de Montréal ce soir-là. Quoique, nous, nous ayons notre petite idée là-dessus.

Tu ne trouves pas que ça ressemble à une magouille de dragouilles ?

Montréal sur mer

Tous les jours, les rues du centre-ville de Montréal sont prises d'assaut par les travailleurs, les étudiants, les touristes et les clients des grands magasins.

En marge de ce tourbillon d'agitation, les murs des édifices racontent une fabuleuse histoire à qui prend le temps de s'y attarder.

En effet, sur certains murs, tu peux apercevoir de curieuses formes. Il s'agit en fait de cadavres d'animaux marins fossilisés, âgés de 450 millions d'années ! À cette époque, Montréal était recouverte d'une mer chaude et peu profonde. Presque tous les continents étaient rassemblés dans l'hémisphère sud. L'île de Montréal se situait alors sous les tropiques, près de l'équateur.

C'est à cette époque que les océans se sont peuplés de milliers de petits organismes marins. Cela s'est produit bien avant que les dinosaures foulent le sol de notre planète.

Tu te demandes sans doute comment les traces de ces petits organismes se sont retrouvées sur les murs des édifices du centre-ville? Eh bien, l'accumulation des carcasses de ces milliers d'invertébrés au fond des mers a formé un dépôt calcaire. C'est ce même calcaire qui, des millions d'années plus tard, a servi à construire de nombreux édifices de la ville.

Lors d'une prochaine visite au centre-ville, éloigne-toi des vitrines des magasins et pars à la recherche des vestiges du passé sous-marin de Montréal.

Un gastéropode fossilisé.

IDÉE D'EXCURSION :

Rends-toi au **Mount Royal Club**, au 1175, rue Sherbrooke Ouest, et tente de trouver la trace d'un gastéropode, un genre d'escargot géant, sur les murs de l'édifice. Indice : il se trouve près du trottoir.

La plus haute tour inclinée du monde !

LE STADE OLYMPIQUE DE MONTRÉAL A ÉTÉ CONSTRUIT POUR ACCUEILLIR LES JEUX OLYMPIQUES DE 1976.

Le stade est surmonté par une immense tour de 175 mètres. On l'appelle la Tour de Montréal. Un funiculaire vitré permet de se rendre au sommet et d'accéder à l'observatoire, où la vue sur Montréal est spectaculaire. Ce bâtiment est le 6e plus haut bâtiment de la ville.

AU SOMMET, PAR BEAU TEMPS, ON PEUT VOIR JUSQU'À 80 KM À LA RONDE.

LA TOUR A ÉTÉ CONSTRUITE EN 48 MOIS.

SA MASSE EST DE 166 363 TONNES MÉTRIQUES DE BÉTON ET D'ACIER. C'EST L'ÉQUIVALENT DE TROIS PORTE-AVIONS !

ELLE A UNE SUPERFICIE DE 14 606 MÈTRES CARRÉS.

LA TOUR DE MONTRÉAL A UN ANGLE D'INCLINAISON DE 45 DEGRÉS.

EN COMPARAISON, LA TOUR DE PISE EN ITALIE A UN ANGLE D'INCLINAISON DE 5 DEGRÉS.

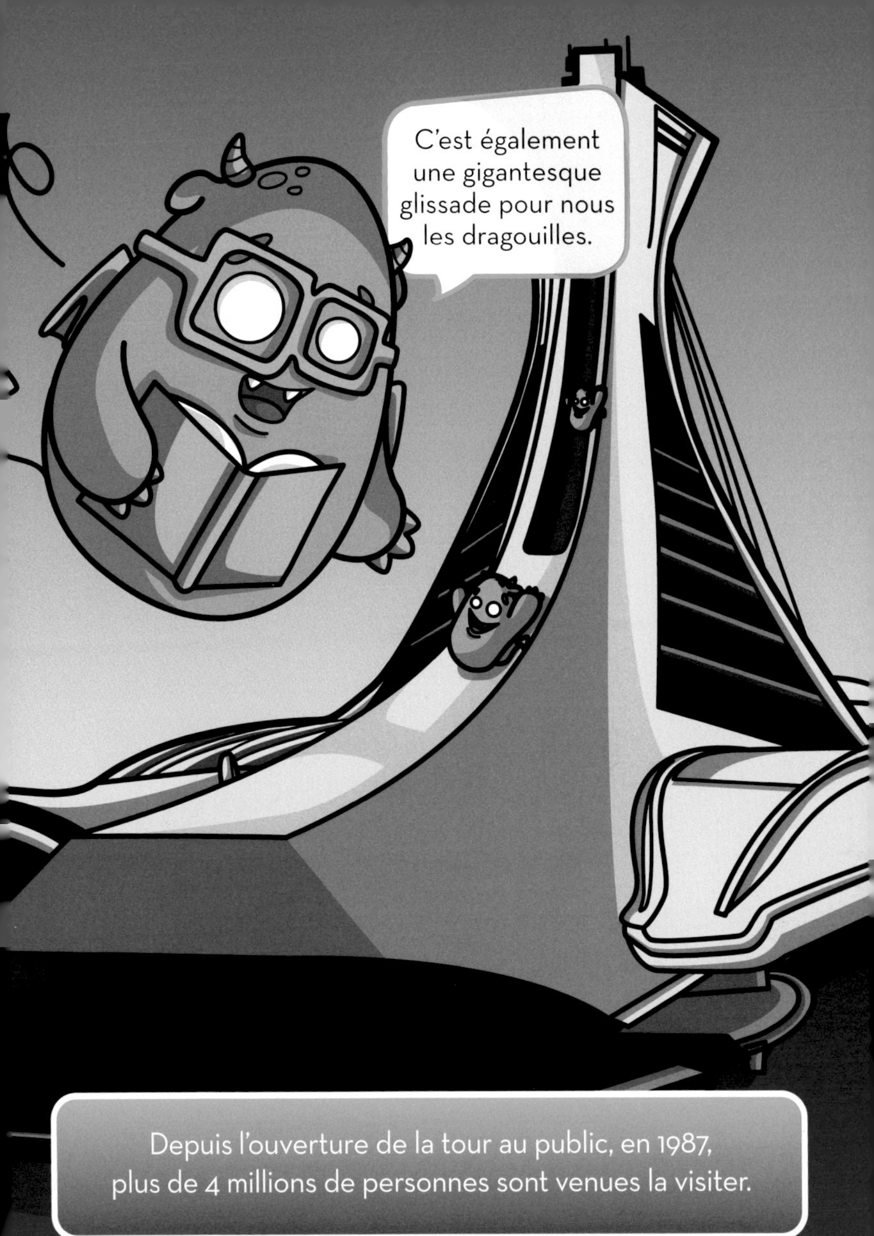

Depuis l'ouverture de la tour au public, en 1987, plus de 4 millions de personnes sont venues la visiter.

SURVOL

Une dragouille vient de survoler cette étrange forme.

DEVINE DE QUOI IL S'AGIT.

RÉPONSE : UN BONHOMME DE NEIGE

Devinettes

1) POURQUOI, L'AUTOMNE VENU, BEAUCOUP D'OISEAUX VOLENT-ILS VERS LE SUD ?

2) QUI EST CAPABLE DE RÉVEILLER TOUT LE MONDE SANS FAIRE DE BRUIT ?

3) QUELLE EST LA DIFFÉRENCE ENTRE UN THERMOMÈTRE ET UN PROFESSEUR ?

4) QU'A LE BONHOMME DE NEIGE QUI A PEUR DE FONDRE ?

5) QUEL SPECTACLE LES ÉCUREUILS VONT-ILS TOUJOURS VOIR À NOËL ?

6) COMMENT DOIT S'HABILLER QUELQU'UN QUI DÉBARQUE À MONTRÉAL EN HIVER ?

7) POURQUOI LES HIRONDELLES NE FONT-ELLES PAS LE PRINTEMPS ?

8) QUEL INSECTE EST TOUJOURS ENRHUMÉ ?

1) PARCE QU'À PIED C'EST BEAUCOUP TROP LONG. 2) LE SOLEIL.
3) AUCUNE. LES DEUX NOUS FONT TREMBLER QUAND ILS MARQUENT ZÉRO. 4) IL A DES SUEURS FROIDES. 5) CASSE-NOISETTE.
6) VITE ! 7) PARCE QU'ELLES ONT D'AUTRES CHOSES À FAIRE.
8) LA MOUCHE.

Le défi de la geek

COMMENT FAIRE :

1. Reproduis cette forme sur une feuille de papier.
2. Découpe en suivant toutes les lignes pleines.
3. Rabats les triangles 1 sur les rectangles 2.
4. Rabats les rectangles 2 sur le rectangle 3.
5. Rabats le carré 4 sur le rectangle 3.
6. Plie à 90 degrés les rectangles 5, chacun d'un côté pour former les hélices.

Maintenant, lance ton hélico dans les airs !

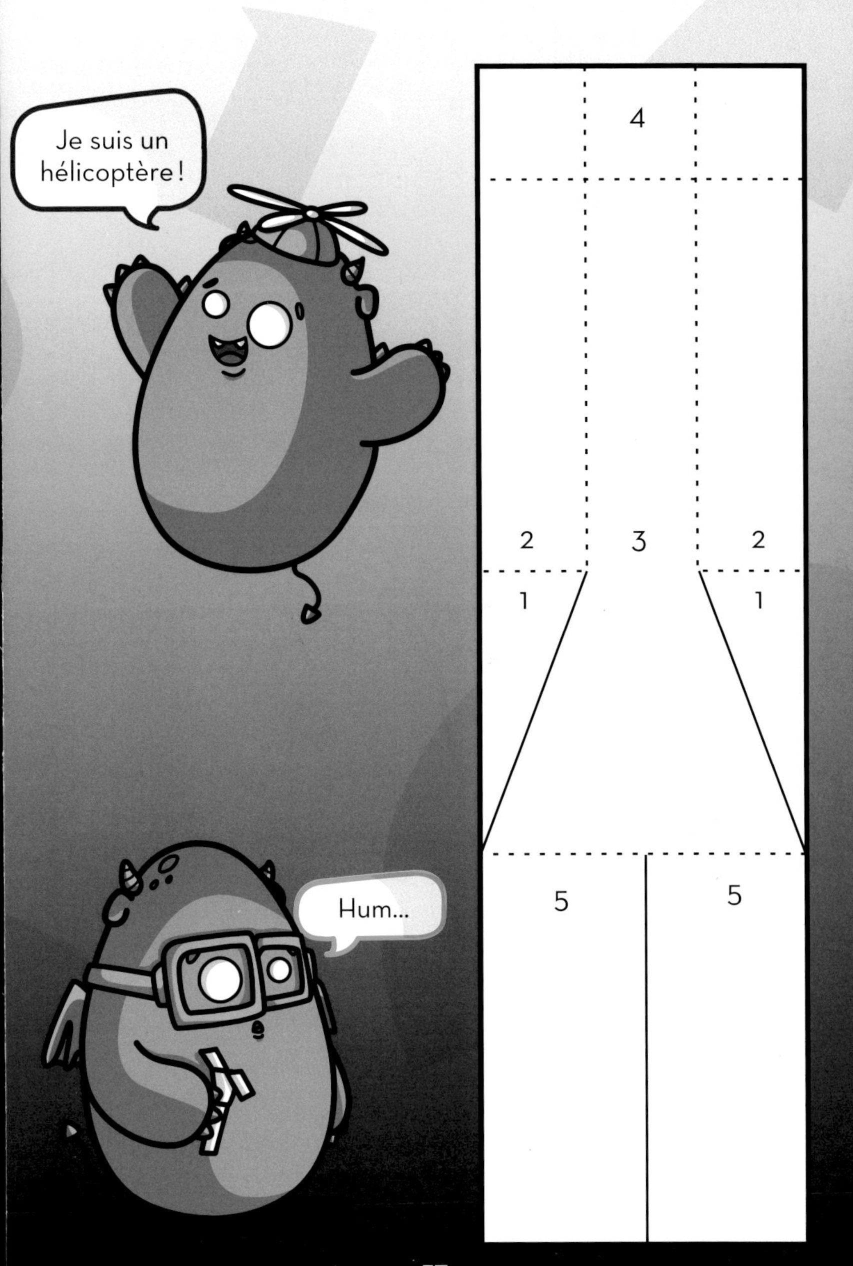
Je suis un hélicoptère !
Hum...
4
2
3
2
1
1
5
5

Le cuistot

Hé !

Ouah ! Ça a l'air bon !
AU ZEUCOURS ! Z'ai la langue zelée !

Qu'est-ce que tu mets dans ta tasse à café? Un lait? Un sucre?
Rien.

Mais, il n'y a rien dans cette tasse!

C'est ce que je viens de te dire! Je ne mets rien dans ma tasse à café.

Pas si bête !

Les Montréalais doivent partager leurs parcs avec un drôle de petit rongeur arboricole à queue touffue. Il s'agit, tu l'auras deviné, de l'écureuil gris.

Grâce à ses griffes recourbées et à sa queue qui lui permet de maintenir son équilibre, l'écureuil est un grimpeur très agile. Il est capable de sauter de branche en branche et peut changer de trajectoire au dernier moment.

À côté de lui, l'homme-araignée peut aller se rhabiller !

Il est rigolo d'observer un écureuil enterrer et déterrer plusieurs fois la même noix pour la changer d'endroit. Les gens croient, à tort, que l'écureuil passe son temps à creuser des trous partout parce qu'il ne se souvient plus de l'endroit où il a enfoui ses provisions. Rien n'est plus faux ! En fait, ce rongeur retrouve plus de 95 % des réserves qu'il a cachées. Pas si tête en l'air que ça, monsieur l'écureuil, hein ? De plus, son puissant odorat lui permet de détecter une noix même si celle-ci est recouverte par 30 cm de neige.

AU MENU

ÉCUREUILS AU VIN BLANC

À Montréal, le nombre d'écureuils ne cesse d'augmenter. Les dragouilles ont peut-être trouvé la solution pour remédier à ce problème de surpopulation. Elles tiennent entre les mains une véritable recette d'écureuils au vin blanc publiée au Québec en 1971, dans *La nouvelle encyclopédie de la cuisine* de Jehane Benoît.

Bon appétit !

LA RECETTE

2 à 4 écureuils
1 tasse de consommé
1 tasse de vin blanc
1 oignon moyen émincé
1 c. à thé de romarin
1 c. à soupe de persil
1 c. à thé de sel
1 c. à thé de poivre
2 œufs battus
1 tasse de farine de maïs
1 lb de beurre
1 gousse d'ail

Porter à ébullition le consommé, le vin blanc, l'oignon, le romarin, le persil, le sel et le poivre.

Couper les écureuils en portions individuelles, et les plonger dans le liquide bouillant. Couvrir et laisser mijoter pendant 10 minutes. Retirer les morceaux d'écureuils et continuer de faire mijoter le bouillon pendant 30 minutes...

Pas chinois, le pâté chinois

Le pâté chinois est le plat national des Québécois. Ils ont eux-mêmes désigné ce mets ainsi à la suite d'un sondage fait par un grand journal.

Mais, qu'y a-t-il de chinois dans le pâté chinois ? Il existe plusieurs hypothèses à ce sujet. La plus probable est qu'à l'origine on utilisait du riz dans la recette. Le pâté chinois serait le petit cousin avec riz du hachis parmentier français et du *shepherd's pie* des Irlandais. Ce qui lui donne sa particularité québécoise est la présence du maïs qui aurait été ajouté dans la recette après la Deuxième Guerre mondiale. Comment est-il arrivé là ? Par accident ? Par audace culinaire ? Le mystère du maïs dans le pâté chinois demeure inexpliqué !

Recette

TU AS BESOIN DE 3 INGRÉDIENTS :

1 kg (4 tasses) de purée de pommes de terre

500 g (2 tasses) de maïs en grains ou en crème

500 g (1 lb) de bœuf haché

1. Fais revenir le bœuf haché dans un poêlon jusqu'à ce qu'il soit bien cuit.
2. Place les 3 ingrédients en étages dans un plat qui va au four : **viande – maïs – pommes de terre**. Cette étape est cruciale dans l'art de faire un pâté chinois !
3. Mets au four ton chef-d'œuvre à 180 °C (350 °F) pendant 45 minutes. *Bon appétit !*

Chacun peut modifier la recette de pâté chinois en y ajoutant d'autres ingrédients comme du fromage, des tomates ou de la macédoine de légumes.

Pour la version dragouille...
Euh... on va passer notre tour !

Marteau !
Scalpel !
Bon, je crois que mon steak est trop cuit...

Cette énorme boule orange est un casse-croûte où tu peux déguster, entre autres, un bon jus d'orange. Elle a été construite en 1942 et est aussi haute qu'un édifice de trois étages. Jadis, chez **Orange Julep**, les serveuses devaient faire le service en patins à roulettes. **Et que ça roule !**

LA REBELLE

Hé !

Autrefois, les Amérindiens collaient une oreille au sol pour écouter l'arrivée probable d'un troupeau.

Ah ! J'entends quelque chose !

Yiii… ah !

MIIAOOUU!

Bou!

DRAGOOUIIILLE

L'HALLOWEEN

EN AMÉRIQUE DU NORD, L'HALLOWEEN EST LA 2e FÊTE EN IMPORTANCE APRÈS NOËL.

L'Halloween tire son origine d'une ancienne fête celte célébrée en l'honneur de Samhain, le dieu païen des morts.

À Montréal, ce serait dans les années 1920 que le soir du 31 octobre on aurait commencé à se transformer en fantômes et autres monstruosités.

Ce sont les anglophones d'origine irlandaise qui auraient transmis cette tradition.

Pour les dragouilles, le soir de l'Halloween est le moment idéal pour se balader dans les rues et passer incognito.

La citrouille lanterne est un des symboles de la fête de l'Halloween. À l'origine, les Celtes sculptaient des navets pour éloigner les mauvais esprits.

J'AI DIT DES NAVETS, PAS DES DRAGOUILLES !

Drôle de fantômes

McTAVISH — UN FANTÔME SPORTIF

Simon McTavish était un riche bourgeois écossais venu s'établir au Canada en 1780. On raconte qu'après sa mort, des amateurs de luge et de raquette à neige auraient aperçu le fantôme de cet homme sur le mont Royal. En effet, le squelette de McTavish aurait été vu plusieurs fois, en position assise dans son cercueil en train de dévaler une pente à toute vitesse. Plutôt sportif ce fantôme !

McALLISTER — UN FANTÔME À CONSOLER

Dans un bâtiment du Vieux-Montréal, une femme du nom de Rosemary McAllister serait morte à la suite d'une mauvaise chute dans les escaliers menant à la cave. Son corps aurait été retrouvé, près de deux semaines plus tard, à cause de l'odeur. De nos jours, ce bâtiment abrite un commerce. Les employés qui y travaillent affirment qu'il est encore possible d'entendre cette femme pleurer. Pauvre Rosemary !

O'DOWD — UN FANTÔME AU CHÂTEAU

Madame O'Dowd serait morte dans son bain, à l'étage du château Ramezay. Depuis, elle hanterait ce château devenu musée. Elle serait à l'origine de plusieurs phénomènes étranges. Le concierge du musée raconte que, sous les voûtes, il aurait détourné son attention un instant de sa pile de journaux pour aller allumer la lumière. Il dit avoir vu à son retour six couteaux placés en éventail sur la pile ! Le moins qu'on puisse dire c'est que madame O'Dowd a des idées tranchantes !

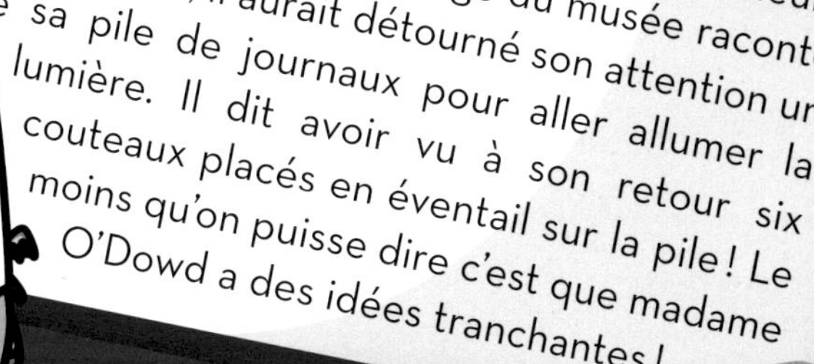

DES FANTÔMES QUI FONT DU THÉÂTRE

On raconte que plusieurs fantômes hanteraient le Théâtre du Nouveau Monde. Des employés rapportent des phénomènes étranges comme des bruits de pas sur la scène, des mouvements d'ascenseur plutôt bizarres et la présence d'un banc qui resterait toujours baissé. Selon un spécialiste en la matière, ces fantômes auraient été libérés lorsqu'on abattit des murs pour faire des rénovations. Peut-être que ces fantômes rêvaient tout simplement de faire du théâtre ?

Un larcin sans pépin

L'un des plus importants vols d'œuvres d'art qu'a connu l'Amérique du Nord a eu lieu au Musée des beaux-arts de Montréal. Dans la nuit du 4 septembre 1972, vers 2 h du matin, trois malfaiteurs ont escaladé les murs du musée pour se rendre sur le toit. Ni vus ni connus, ils se sont introduits dans le musée par un puits de lumière.

En seulement une heure, les filous ont réussi à faire passer par le toit 18 des plus précieux tableaux du musée ainsi que des objets d'art et des bijoux. Parmi ces œuvres, il y avait un tableau du très célèbre peintre Rembrandt qui valait à lui seul un million de dollars !

À cette époque, la totalité des tableaux volés était évaluée à deux millions de dollars.

AUJOURD'HUI, CES TABLEAUX VALENT PLUS DE 12 MILLIONS DE DOLLARS !

L'ENQUÊTE EST TOUJOURS OUVERTE.

IMAGINE ! LES TABLEAUX N'ONT JAMAIS ÉTÉ RETROUVÉS ET LES VOLEURS NON PLUS !

UNE RÉCOMPENSE DE PLUSIEURS MILLIERS DE DOLLARS EST OFFERTE À QUI SERA CAPABLE DE RÉSOUDRE L'ÉNIGME.

CE N'EST PAS TOUS LES JOURS QU'ON PEUT VOIR UNE DRAGOUILLE SE FAIRE ENCADRER !

FOUF

LES FOUFOUNES ÉLECTRIQUES... TU PARLES D'UN DRÔLE DE NOM !

Dans les années 1980, trois amis décident d'ouvrir un centre culturel pour que tous les acteurs de la scène underground puissent enfin s'exprimer. Ils nomment cet endroit les **Foufounes électriques**. Peintres, musiciens et autres artistes viennent s'y produire.

Aujourd'hui, ce lieu mythique continue d'attirer les Montréalais et les touristes qui ont envie de s'électriser les foufounes au son de la musique alternative.

Dans le Vieux-Montréal, sur un édifice de la rue de l'Hôpital, des gargouilles et une dragouille font la grimace aux passants.

Au revoir !

C'est sous un ciel éclaté que nous quittons les dragouilles bleues de Montréal.

Rendez-vous dans de lointaines cités pour d'autres aventures de ces petites bêtes urbaines. En attendant, n'oubliez pas de lever vos yeux vers le ciel. On ne sait jamais qui pourrait être en train de vous observer...

GLOSSAIRE

Slush : mélange de neige et de calcium.

Bobette : caleçon ou culotte.

Cacahouiller : mot inventé par les auteurs qui signifie fienter.

Foufounes : fesses.

Glissade : structure aménagée pour glisser.

Set carré : dérivé québécois d'une danse américaine appelée *square dance*.

Catalogage avant publication de Bibliothèque et Archives nationales du Québec et Bibliothèque et Archives Canada

Cyr, Maxim

Les dragouilles

Sommaire: 1. Les origines -- 2. Les bleues de Montréal.
Pour enfants de 7 ans et plus.

ISBN 978-2-89435-460-5 (v. 1)
ISBN 978-2-89435-461-2 (v. 2)

I. Gottot, Karine II. Titre. III. Titre: Les origines. IV. Titre: Les bleues de Montréal.

PS8605.Y72D72 2010 jC843'.6 C2009-942530-0
PS9605.Y72D72 2010

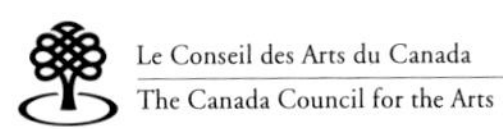

La publication de cet ouvrage a été réalisée grâce au soutien financier du Conseil des Arts du Canada et de la SODEC. De plus, les Éditions Michel Quintin bénéficient de l'aide financière du gouvernement du Canada par l'entremise du Programme d'aide au développement de l'industrie de l'édition (PADIÉ) pour leurs activités d'édition.

Gouvernement du Québec – Programme de crédit d'impôt pour l'édition de livres – Gestion SODEC

ISBN 978-2-89435-461-2

Dépôt légal - Bibliothèque et Archives nationales du Québec, 2010
Dépôt légal - Bibliothèque et Archives Canada, 2010

Éditions Michel Quintin
C.P. 340, Waterloo (Québec)
Canada J0E 2N0
Tél.: 450 539-3774
Téléc.: 450 539-4905
editionsmichelquintin.ca

1 2 - W K T - 2

Imprimé en Chine